VOL. 8
악마에 입문했습니다! 이루마 군
OSAMU NISHI

& STORY 캐릭터 소개 & 줄거리

스즈키 이루마

지나치게 착해빠진 상냥한 소년. 부탁을 받으면 거절을 못 한다. 위기 회피 능력이 뛰어나다. 인간이라는 사실을 들키지 않고, 악마 학교를 평온하게 다니고 싶다.

아스모데우스 아리스

파괴와 미덕을 관장하는 가계의 악마. 입시 수석인 우등생. 입학식에서 이루마 때문에 체면을 구기고 발끈하지만, 결투로 완패한 후 이루마에게 충성을 맹세한다.

《특기 마술=화염계 주문》

발락 클라라

밝고 활기찬 여자 악마. 항상 야단법석에 조용할 때가 없어서, 주위로부터 괴짜 혹은 희귀 짐승 취급을 당한다. 이루마의 상냥함을 접하고 감동해서, 좋은 친구 중 한 명이 된다.

《가계 마술=한번 본 물건은 뭐든 주머니에서 꺼낼 수 있어!》

CHARACTERS

악식의 반지 (아리 씨)

이루마의 손가락에서 빠지지 않는, 마력을 담아두는 반지. 어찌 된 건지 의지를 지녔으며, 대화가 가능하게 됐다. 이루마의 랭크와 관련이 있는 것 같은데…?!

설리번

이루마를 손자로 삼아서 아끼고 있는, 바비루스의 이사장. 이루마에게 끝없는 사랑을 쏟고 있으며, 악마로서의 실력 또한 마찬가지로 미지수다.

나베리우스 카르에고

매우 엄숙한 바비루스의 교사. 마이페이스한 이사장을 질색하며, 이루마도 눈엣가시로 여기지만… 수업 중의 사고로 이루마의 사역마가 되고 만다.

지금까지의 이야기

지나칠 정도로 착해빠진 스즈키 이루마는 인간 말종인 부모님에 의해 악마에게 팔려버린다. 마계에서 악마, 설리번의 손자가 된 이루마는 그가 이사장을 맡은 바비루스에 입학하고, 자신이 인간이라는 것을 숨긴 채 학교생활을 보내기 시작한다. 허둥대면서도 즐겁게 학교의 과제와 이벤트에 임한 그는 마계 랭크가 「3」으로 승격된다. 랭크가 「3」이 되자, 착용하고 있던 악식의 반지(통칭:아리 씨)와 이야기를 나눌 수 있게 된 이루마. 악마에게 찾아오는 스트레스 주기 「악주기」에 관해 더 알고 싶어서 아리 씨와 상의한 이루마는 성격이 나빠지는 마술에 걸려서 악(惡)루마가 되고 만다. 악루마는 특이한 녀석 천지인 어브노멀 클래스를 통솔해, 한때 마왕이 사용했던 교실 「왕의 교실(로열 원)」을 손에 넣으려고 계획을 꾸민다. 그러자 카르에고 경으로부터 교직원 전원의 허가서를 받아오라는 어려운 조건을 제시받는다. 하지만 클래스메이트의 협력과 이루마의 평소 행실, 인덕 덕분에, 그 조건을 달성한다!! 「로열 원」을 손에 넣은 이루마는, 인간이라는 걸 들키면 안 되는데… 악마들에게 더욱 주목을 받게 됐다!!

CONTENTS

스즈키
이루마,
14세.
제62화 마계의 공부
바보 부모가 악마에게 자기를 판 후로
매각완료
수많은 궁지에 처했지만…
이제까지는 어찌어찌 극복해왔다…
덥석
덥석
그러나 이제서야…
최대의 적과 마주치고 말았다.
그것은 바로…

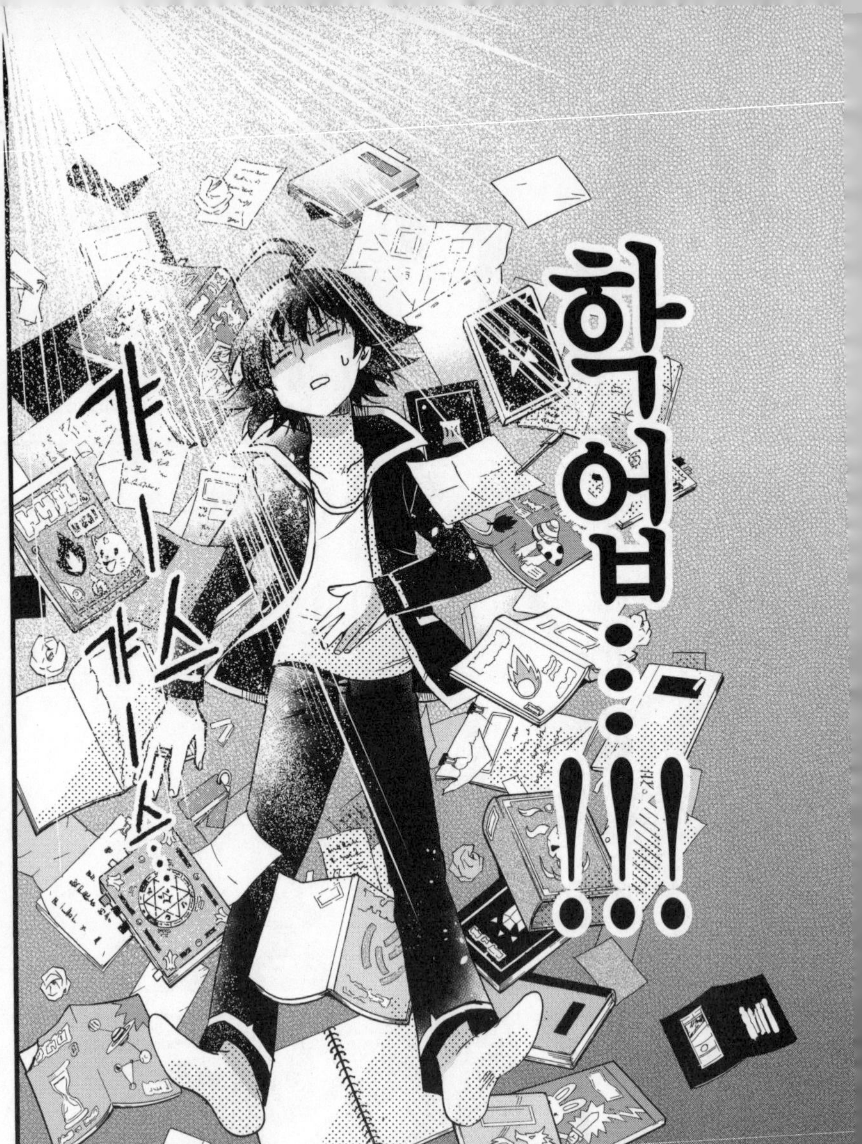
학업…!!!
갸ー스 갸ー스…

제62화 마계의 공부

공부
열심히 하고 있나 보네~. 이루마!
음 음
하지만 무리하면 안 돼….
네.
핼쑥…
아무튼 교과서를 읽어봤지만, 전혀 모르겠어….
흠 흠
이 할아버지는 걱정이구나!!
정말~
시험 문제를 가르쳐줄까?
편애 해버려?
아니면 이루마 것만 쉬운 문제로 바꾼다거나!
어
이사장 님….

그건 이루마 님을 위하는 게 아닙니다.
오페라 씨.
게다가
이루마 님은 성실한 분이시죠.
분명 시험에서도 우수한 성적을 받으실 겁니다.
?!
그럴까? 그렇겠지!!
그럼, 축하 준비를 해둘게!!
야호~
먹는 둥 마는 둥 했네…….
비틀
으윽
이루마군♥

꾸벅…
신세 많이 졌습니다.
어?!
뭐야?!
흑흑흑
저는 곧 사라질 겁니다….
어, 어째서?!
그야
이루 도령의 랭크가 올라갔기 때문에 이 몸이 실체를 얻은 거잖아?
그렇다면

제 말좀 들어 보세요!
이루 도령이 바보라서!!
시험은 낙제점! 랭크가 떨어져서 이 몸은 소멸!!
아아, 이루 도령이 바보라서!
바보라서!
재미있어하는 거지?!
정말
그만해!
아니 걱정하고 있거든?
괘, 괜찮아!
엥~. 진짜로 좋은 점수 받을 수 있겠어~?
낙제 회피… 정도는?
의문형이네.
하지만 확실히…
랭크가 내려가면 아리 씨가 어떻게 될지 모르잖아…
하아~ 걱정돼~

좋아!
아무튼!
낙제점은
무조건
피하자!!
뭐
낙제만은
하자!!
사각
사각
낙제박멸
사각
점성학

이건….
끄~응…
보면 모르겠어?!
공부 중이야!!
공부…?!
네놈들이 …?!
그래!!
우리는 노력하기로 결심했어!
바로!!
놀기 위해서!!!
보충 수업 지옥 따위 못 견뎌!!
장기 휴가 동안 뒹굴뒹굴 하기로 결심했다고!!

놀기위해 열심히 공부!
오오 오오오
그럴 줄 알았어.
왠지 안심이 돼….
내버려 두고 저희는 저쪽에서 공부하죠.
이거 알아?!
몰라!!
시험 과목은 다섯 과목.
그런데 이루마 님의 특기 과목은 뭡니까?
잘 모르겠네….
으~음
그럼 문제집을 풀어보면서
자신 있는 과목과 없는 과목을 파악하죠!
오~
오오~!!

스타트!
암기 문제
마계 역사
Q. 8대에 걸쳐 13관에 속한 명가는?
X
베로베로바
X
몰라요
O
벨제뷔트
암기 100
※점수 배분
계산 문제
점성학
Q. 적월(赤月)이 사흘 전이라면
청성(青星)은 며칠 후?
O
9일 후
X
나는 초록
X
몰라요
암기 20
계산 80

암기 80
계산 20
고문학
Q. 공포 장군 안드라스가
애용한 오른쪽 그림의
고문 도구 이름은?
X
무서워
○
혀 깨물기 창
X
가위맨
암기 50
계산 50
마술 기초
Q. 구두 주문과 무(無)구두 주문을
동시에 쓸 수 없는 법칙을
뭐라고 하나?
항복
○
우로보로스
○
우로보로스의 법칙
암기 40
계산 60
약학
Q. 악마조차 잡아먹는다는
곤돌라 곰치가
45kg의 악마를 녹이는 데
걸리는 시간은?
○
5분
X
몰라요
○
오 분!

전문제 오답
골인
정답3오답2
정답5오답0
괘, 괜찮습니다! 천천히 해보죠.
힘내.
으흑….
역시 나는 공부에 적성이 없나 봐….
하아~
문제 제1장 기초
Q.1 인간의 손발은 다 합쳐서 몇 개?
A
슥…
사각…
A 4개

정답
Q. 1
정답
4개
4개
Q.2
오른쪽 그림의 「고양이」가
좋아하는 것은?
정답
A. 생선
Q.3
「개」는 동물인가?
식물인가?
정답
A. 동물
이루마 님?
정답 정답

꾸욱
100점.
뭐어?!
마계 역사·공상 생물
공상 생물학
저자 발람 시치로
마계 역사·생물
우와, 진짜네!!
이루마찌, 똑똑해~.
왜
왠지 쉽게 풀었어….
대단해~
「마계 역사의 공상 생물학」이군요!
이쪽으로 재능이 있으셨다니!!
어.

100점이라니, 대단하오!
멋져♡
역시 머리가 좋네.
이럴 때, 평소의 이루마라면
으음.
고, 고마워.
하고 대답했겠지만…
익숙하지 않은 『공부』로 처음 100점을 받자
머리좋네~
대단해!
천재!!
그의 반응은 평소와 달랐다….

그런…가?
스터디즈
공부
하이
고양
좋은 점수를 받았다는 쾌감에, 이루마의 텐션은 맛이 가 버렸다.
천재야!!
그런… 걸까?
다음 수업은 「마계 역사」!
이루마 님이 100점을 받은 과목입니다! 이참에 「마계 역사」를 완전히 마스터하는 게 어떨까요?!
아.

좋아! 가자!!
오오
다녀와~
마계 역사
도착ー
마계 역사 담당은 다리 선생님입니다.
체면치레는 이걸로 끝!
다리 입니다!
장난스런 선생님이구나~.
오ーー
그럼 궁금한 게 있으면
질문도 적극적으로….
히익!!
꺄아ー
…어?

텅 텅~...
어이!!
이게 어떻게 된 거냐?!
다리 선생님이 악주기로 쉬게 되셔서…
대신 발람 선생님이….
!!

발람
이면…….
뒤적…
공상 생물학
저자:발람 시치로
마계 역사
내가
100점 받은
문제집의
저자!
와아~
발람 선생님은 좀
특수하신데….
저, 저희도
이번 수업은
그냥 빠질까요…?
어?!
괜찮아!
모처럼 왔잖아.
나, 발람 선생님의
수업을 들어보고
싶….

쿵
기쁜걸.
데로옹
의욕 넘치는
학생은
대환영이다.
…?!

자아.
그럼
수업을 시작하겠습니다….
꼬오오오옥
제63화 발람의 수업

마계 역사에서 공상 생물은
수없이 등장한다.
쓰-담 쓰-담 쓰담
공상 생물학은 착각의 학문이지.
쓰-담 쓰-담 쓰-담
마계에는 아무도 발을 들이지 않은 땅도 많으며, 분명 새로운 종도 많을 것이다….
쓰담 쓰담 쓰담 쓰담
저기
공상 생물이 뭘 먹냐고?!
어?!
네?!
헬쑥…
주식은~

학생 여러분이
도망간 건…….
발람 선생님의
「스킨십」.
착하다~
착해~
끄덕끄덕
공상 생물학
담당이라 그런지,
생물을 보면
만지고 싶어 해서
수업 진행이
안 됩니다.
게다가
소곤…
이~히히힛
만지는 건
그 녀석이
실험에
쓸 수 있을지
확인하기
위해서고
마음에 들면
납치해서
밤이면 밤마다
실험에 써먹는단
소문이 있어~~.
히익~~

게다가
그럼 오늘은
인간에 대해 생각해볼까.
나왔네, 공상 토론.
시험과 상관 없는데~
!
만약 너희 눈앞에 인간이 나타나면 어쩔 거지?
드르르륵…

그야 먹어야죠!!
맞아~
엄청 맛있다면서요?!
어이어이
?!
상상 속의 존재라고.
침울
확실히 인간은
욕망 덩어리라서 악마의 양식이었다고 하지.
쿡
서, 선생님은… 어떻게 할 건가요…?
만나면…
나…?
…….
입 다물지 말라고. 무섭잖아….
지금 분명 머릿속으로 실험하고 있을 거야….
역시 잡아 먹으려나….

만약 인간을 만난다면…
뭐
어떻게 살아남았는지 묻고 싶은걸….
철컥
인간을 비롯해
탁
공상 생물은 대부분 매우 약한 생물이라고 여겨지고 있어.
보다시피 현존 생물이 더 하이 스펙이라고 하지.
있다
날개있음
큼
무서움
없다
날개없음
작음
순종적
인간

공상 생물은 고대적 이랄까….
이런 모습으로도 생존할 수 있다면, 그곳은 매우 평화로운 환경일 거야.
하지만 마계의 생태계는 혹독해.
그러니 우리 악마들은 진화 과정에서 꼬리와 날개를 얻은 거야.
뿔은 없어도 날개만 있으면 도망….
스윽
있으… 면….
어라….
문질 문질…

스
우
흠칫
덥 서억!
우왓.
이루마 님!!
너희는 교실로 돌아가!
나도 업어줘~

교무실
허둥지둥
덜커엉
실례 합니다!!
저기!! 큰일 났어요!!
뭐 뭐야?
발람 선생님?
무슨 일….
큰일 이에요!!
얘, 날개가 없어요!!
!!!

날개가?!
몸 안에 집어 넣은 건…
큰일 났다!!
어버
어버
날개를 넣고 뺄 구멍도 없어요!
만져보면 알 수 있다고요!
흠칫
!
큰일 났다! 나는 인간이잖아!
등에 날개가 있을 리 없어…!!
이루마 군.
등을 보여줘!!
어, 으, 응.
괜찮….
확 벗겨버리죠.
네!
우왓!!

악마에 입문했습니다! 이루마 군

OSAMU NISHI

훌렁
!!
이건….
들켰….
있잖아.
날개.
어.
쬐끄매…
앗.

아리 씨!!!
※셔츠안
히익
히익
………….
너무 작아서 눈치 못 챈 건가.
뭐야ー
발람 선생님의 공상하는 버릇은 정말~~.
휘ー익
빨리 수업하러 돌아가세요.
터벅
터벅
들키는 줄 알았네~~.
…
후ー…

흘끔…
이 선생님과 같이 있는 건 위험…할까?
공부 관련으로 질문도 하고 싶지만… 거리를 두는 게 좋을 거야….
그, 그럼, 수업도 끝날 시간이니…
저는 이만….
슥…
역시 안 되겠어.

공상 생물학은 착각의 학문이야.
네 등을 만지고…
꾸욱…
네가 위중한 병에 걸렸거나
특별한 생물일 거란 착각에 빠졌어.
철컥
흠칫
확인하지 않으면 직성이 풀리지 않는 성격이거든….
두두두두
원망은 말아줘.

인간
이라는 걸
들키면
잡아
먹힐….
쥐어…
달그락…

이걸로 비긴 거지…?
어이쿠
스윽
…어?

내 이빨은 흉포하게 생겼거든.
철컹…
이거 자체는 마계에서 그다지 보기 힘들지는 않지만.
옛날에 사고를 당하면서, 이빨이 드러나고 말았어….
나는 생물을 좋아하는데, 다들 겁먹고 도망치거든.
그래서 틈만 나면 나도 모르게
만져어—!
조물
조물
조물
만지려고 드는 버릇이 생겼어.
왜… 그걸….
저한테…
그야,
싫었을 거잖아. 그 조그마한 날개를
남들이 보는 게….
!

고민해봤는데, 이러는 게 가장 좋겠더라고.
쓰담 쓰담
갑작스러워서 놀랐지?
미안해. …하지만
너만 싫은 경험을 하고
나는 그냥 사과만 하고 넘어가는 건 공평하지 않거든.
그래. 이 선생님은…
하아~! 질병이 아니라 다행이야

이상해서
들어와.
남들의 두려움을 사지만
기다려
금방 차 끓여줄게.
실은 엄청
상냥한 거야.
뜨거우니까 조심해서 마시렴. 아마 맛있을 거야.
선생님….

저는…
인간이에요.
…뭐?

제64화 충격적인 사실

【카르에고 선생님의 표지 아이디어 갤러리】

《A안》

니시 선생님 「역시 머리카락을 쓸어올리는 모습이 멋지다니까요.」

담당자 「이루마가 같은 포즈를 취하고 있는 것도 재미있군요!」

《B안》

담당자 「이루마 군에게 사역마 소환을 당하는 표지도, 참신한 것 같아요.」

니시 선생님 「그럼, 확──.」

《C안》

니시 선생님 「이것도 괜찮나요…?(웃음)」

담당자 「(포복절도)」

심사숙고 끝에, A안으로 결정됐습니다.

발람.
또 그림책 보냐——.
웃는곰의 모험
발람. 왜 밖에서도 책만 보는 거야~.
긴뿔왕자
기분 나빠.
또~ 그림책 읽고 있냐고.
머리셋병아리
저딴 생물이
있을 리가 없는데.

저는…
인간이에요.
앗……
말해버렸…
인….
어, 앗, 으음.

인간이라고 했지?
아니, 그게
거짓말은 좋지 않아.
인간 이라고 했어?
읏. 앗.
네….
에….

철퍼―덕
발람
선생님!
괘괘,
괜찮으세요?!
…아니…
괜찮진…
않아….

어.
아까 있었잖아?! 날개는?!
가짜 인데….
그럼 꼬리도?
없어요….
선생….
척!
휙
더는 다가오지 마!!
그게… 더는 억누를 수 없을 것 같거든….
?! 설마 식욕….
긴장할 거야.

인간
이라니!!!
오랫동안
공상해온
생물의
실물이.
역시 날개는
없었어.
나는 틀리지
않았던 거야!!
자,
잡아
먹는다…
거나
뭐?!
흥미는
있지만!!
너는 귀중한
보호 생물
이거든?!!
그렇게
되는구나….
솔직히
엄~청
만지고
싶지만….
으~음
톡
벌러~덩!!

너 말이지.
자, 잘못 했어요.
무심코…
자각 좀 해!!
너는 귀중하고 연약한 존재거든?! 정체를 들키면 난리 날 거야!!!
저기
발람 선생님은 상냥하니까 저도 모르게…. 그치만 이제까지 들키지도 않았고요….
이게
말해두겠는데, 인간에게 이런 반응을 보이는 건 나뿐일 거야. 다른 악마는 한입에 먹어버릴 거라고. 알고 있어?!! 모르겠지!!!
윽.
죄송해….

생물로서 너무 물러,
너는.
고오오오오오
갸-스
갸-스
결국 몇 시간 동안 설교를 들었어….
일러쿵
절러쿵
비틀
비틀
발람 선생님은
역시 상냥해….

다음 날
대~앵…
왜, 왜 그래?
우리는 이제 틀렸어 ~~.
최선을 다해 봤지만….
의욕이 나지 않소이다….
아아~~
어이
공부 시작한 지 하루밖에 안 됐잖아.

더 효율적으로 공부하지 못하는 거냐?
잘하는 친구한테 배우거나….
잘하는….
좋아. 바보는 이쪽에 집합.
바보
낙제 라인
똑똑
?
벨레
일하는 중
얼추… 이렇군.

좋아, 해산!!
버, 버림 받았어!!
이 인원을 다 가르치는 건 무리다. 나는 이루마 님만 챙기기도 바쁘거든.
맞는 말이네….
이 두 사람은 가르치는 쪽으론 적성이 없고
사브로, 머리가 좋구나.
마왕이 될 자에게 지식은 필수이니라.
누님도 바보였네.
그럼 안 돼?
아뇨, 흥분 됩니다.
아~
휴가가 날아가게 생겼어 어어어.
다들 휴가 때 뭘….
오!
잘 물어봤어!!!

마계에는 놀 곳이 잔뜩 있어!!
절대 빠질 수 없는 곳이 바로 놀이공원, 월터 파크!!
피범벅 풀장, 절규 페스티벌!
쇼핑을 할 거면 흡혼(吸魂)의 저택!

여기저기서 축제도 해! 몸 하나론 부족할 정도라고!
바트라에서 합숙도 하지.
바쁠 거야.
노는 이야기를 할 땐 기운이 넘치는구나.
정…말….
반짝
반짝
이루마 찌?
눈부셔
헉
아, 왠지 엄청….

재미 있을 것 같아!!!
눈이 빙빙도는
이루마의 여름방학
야키소바
알바 온리~
뭐야?! 이루마도 가본 적 없는 거야?!
같이 갈래?!
뭐?!
그래도 돼?!
같이 놀도록 하지요~.
다같이
응!!
외출……
놀자 놀자
와~
뭐, 그 전에 시험에서 낙제점을 안 받아야겠지만 말이다.

그랬지….
츄~욱…
참고로 보충 수업 감독관은 나다.
흥
끄아악, 죽음의(데스) 나날(로드)!!!
너무해!
카르에고 선생님은 청춘을 몰라!
커닝도 불가능한데 말이지.
어.
시험에서 부정행위를 한 녀석은 항상 들키거든.
왠지는 모르지만
흐음…
고오오오

고오오오
하아
하아
우와앗!!
뭐야?!
무서워!
발람 선생님?!
어, 학생으로 실험한단 소문이 도는 바로 그…?
설마 누군가를 납치하러…?!

선생님….
척
욱!
여어
잘 지내나 보군, 시치로.
카르에고.
응
키가 더 컸구나
?!!

저기~. 두 분은 어떤 관계신지….
우리들
동급생 이야.
우리 둘다 바비루스의 학생이었어.
악연 이다.
그래도 갑자기 찾아오진 마라.
알았어. 다들 깜짝 놀라니까 말이야.
웅성 웅성
꿀꺽
아니, 확실히 놀라긴 했는데….
그보다
카르에고 선생님….

사이 좋은 악마가
있었구나…!!
아야야야아야
무슨 생각을 하는지 눈치챘다.
소곤
저기
그런데 발람 선생님은 왜 이 교실에…?

음~
네가 인간이라는 걸 들키지 않았나 걱정되어서 보러 온 건데….
소곤
소곤
아무래도 시험 때문에 위기인가 보네.
비밀 병기를 만들어주겠어.

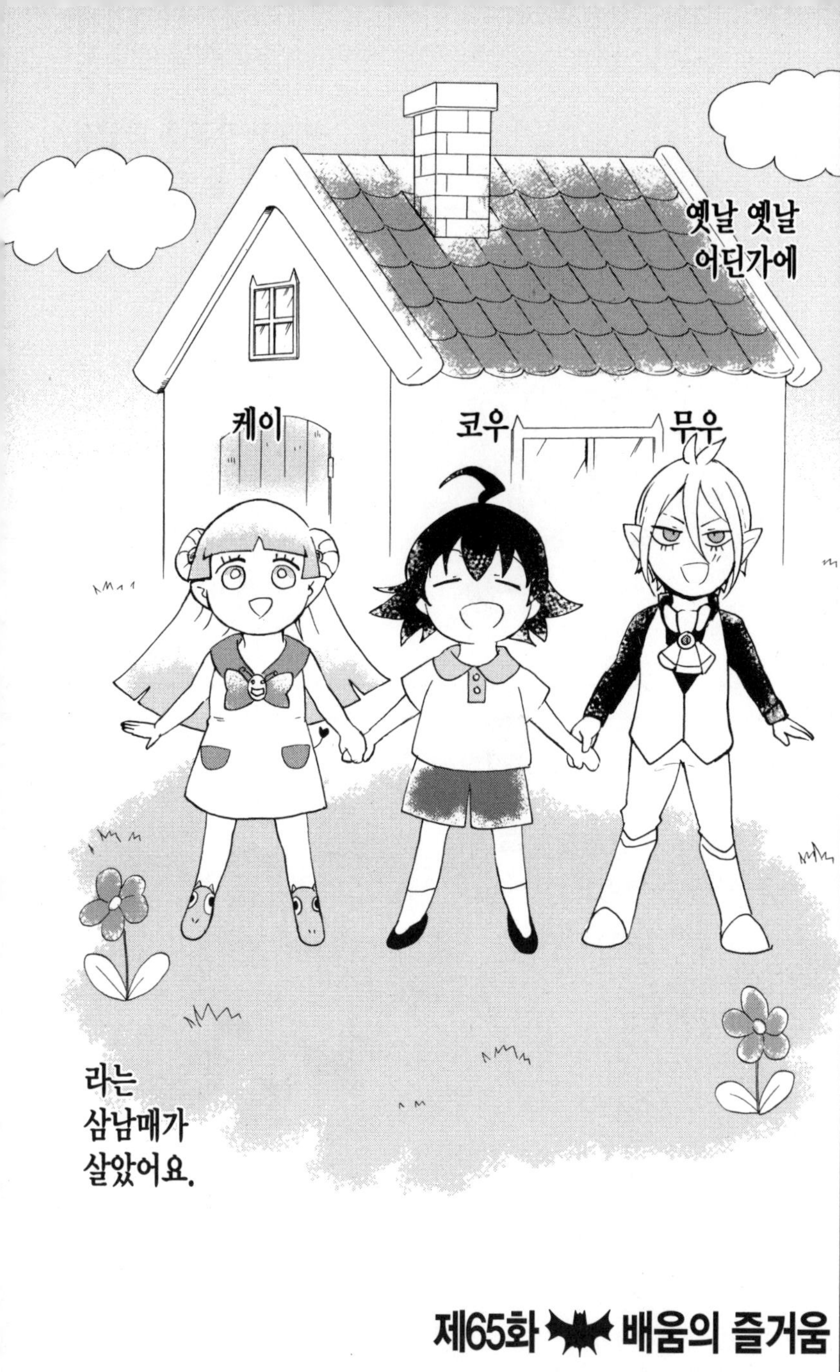
옛날 옛날
어딘가에
케이
코우
무우
라는
삼남매가
살았어요.

제65화 배움의 즐거움

코우는 주문을 외워서
마술을 쓸 수 있어요.
수많은 종류의
주문이 있어요.

이것이
구두(口頭) 마술
레어도☆

무우는
주문을 외우지 않고도
마술을 쓸 수 있어요.
많은 수행이 필요하지만
연습한 만큼
주문은 강해져요.

이것이
무(無)구두 마술
레어도☆☆☆

케이는 자기만 쓸 수 있는
특별한 마술을 지녔어요.
연습을 하면
마술은 더욱 강해져요.
이것이
가계 마술
레어도☆☆☆☆☆
각각의 마술에 차이점이 있기에
삼남매는 서로를 도우며 사이좋게 살았어요.
이것이 마술의 기본이에요!

알기 쉬워!!
아, 정말?
마술 3남매
이거, 진짜로 발람 선생님이 그린 거예요?!
대단해—
옛날부터 그림책을 좋아해서
취미로 직접 그렸거든.

남들한테도 보여주려고 했는데, 어찌 된 건지 도망치더라고.
발람의 실험노트다
히이이익
666마리 케르베로스
무서워!!
…….
아무튼 이걸 그리느라 고생하신 건….
무슨 소리를 하는 거야!
마계를 아는 건 네 몸을 지키는 데 필요한 일이야!
다른 과목의 그림책도 만들어줄 테니까, 꼭 읽어!
읽어줘서 기쁜 걸…까?
네…!
마구연구
아미 키리오
이루마

짜잔!
물 한 방울에 줄기가 30m나 길어지는 식물은?
?
…….
저요!
쥐엄쥐엄풀!!
정답!
아~
이겼다!
오예—!!
졌어.

암기에는 끈기가 필요합니다.
혹시 좋은 암기법은….
으~음
저요!
노래하는 거야!
한 줌의 물로~ 쑥쑥 자라나는 쥐엄쥐엄풀♪ 축축한 걸 좋아하는 눅눅버섯♪
발락의 노래는 신경 쓰지 말고,
마계에 전해져 내려오는 별의 노래나 고문의 노래는 부르다 보면 쉽게 외울 수 있죠.
쭈욱쭈욱~♪
쑤욱쑤욱~♬
고문의 노래…
댄스도 넣자!
턴! 턴!

계산?
재즈는 계산을 잘하지? 이거, 맞아?
간단하지~
이건~.
점성 노트
다됐다!
재즈, 머리 좋다!
머리… 좋다니…
고오오오오

와──!
끄아아아
딸깍
딸깍
무, 무서웠어….
안드라스 장군은 무섭긴 해~.
그래~
GAME OVER
게임-최고!
그 외에도 제파르 대장과 푸르푸르 중사도 용맹한 장수이지요!
흐음-
실제로 있었던 전쟁이 모델이야!
마계 역사는 로망이 넘치네!!
……. 그런가?
…?
어어

훌쩍
훌쩍
흑
설마 고문의 역사에 이런 감동적인 이야기가 담겨 있을 줄은….
흑
와아
표정이 볼만한데.
외톨이 고문관
어때? 공부는 잘돼가?
아직 틀리는 게 더 많지만…
콩
갱신은… 하고 있어요.
갱신?

자신이 점점 새로워져 간달까….
그래서 괴로운 게 아니라… 오히려──.
왜 메모하는 거예요?
사각 사각
아니
재미있는 생태…다 싶어서 말이지.
비밀 관찰 수첩
외톨이 고문관 II
머리 좋아지는 약
공부훈련

그만!
휘익!
사각
사각
촤
잔
이루마
55
오
오~!

맞은 게 더 많아…!
낙제점 라인은 40점 입니다.
낙제를 면했으니, 다음은 100점을 목표로 삼죠!
뭐?!
으음
용케 여기까지 성장했구나….
이 박사는 기쁘다.
넵ㅡ
이루마님!!
속으면 안 됩니다! 박사는 58점 이에요!!
아 똑똑합니다!!
도서관에선 조용히!!
기쁨의 댄스
와아
와아
……
다음 날

…어라?
끄~응…
공부하네??!
어어?!
아~~. 뭐…
공부에 흥미가 좀 생겨서…
할 수 있을 것 같은 느낌이… 든달까?

계산 방식을 정리해봤어.
이 몸도 보고 싶소이다!
저요!
오리아스 선생님한테 시험 힌트를 받아왔으니까 교환하자!!
아아~ 너무 들었어
웅성
웅성
시끌
시끌
아하하하하
마계역사 I
과서

도서관에선 조용히
참고서 꽂아 놓고 오겠습니다
이루마쮜는 공부해
응
마술식 구서
고
암기용
마계역사
발람 선생님의 그림책은 이해가 잘되고
아즈는 가르치는 걸 잘해.
클라라는 공부할 때도 항상 밝아.
암기용
마계역사
같은 반 애들과도 이렇게
함께 생각하며 의견을 교환하고 있어.
몰랐네….

공부는…
즐거운
거구나.
다른 애들
덕분에
공부가
즐거워.
이건 분명
대단한
거야…!!
그리고
아주
조금….
휴우ー…
이건
정말
아주
조금
이지만….

나는 역시…
머리가
좋은 걸지도
몰라.

그렇게
쪽쪽~
쏙쏙~
다들 준비를 착착 진행했고…….
마식물
이루마, 여기서 두 번째
스터디즈 하이
※공부 고양
※공부로 좋은 점수를 받아서 우쭐하는 것

발랑
곧 시작인가…
발랑
종말시
드디어
휙
시험
승부의 막이 올랐다!
시작!!
악

第66화 종말 시험

두둥
그럼, 시험지를 돌려주겠다.
잠깐만.

마음의 준비를 할 시간은 좀 줘야지!
음소거
시끌
보충 수업만은 싫어!!
시끌
하다못해 기도드릴 시간이라도…!!
결과는——….
잠깐만!!
매우 유감스럽게도
이번 종말 시험 낙제로 인한 보충 수업 대상자는 —….
꿀꺽….

해당자는 없다.
칫
전원 세이프!!
놀러 갈 수 있어~!!
해내셨군요! 이루마 님!!
예ㅡ이
응!!

좋았어어
어어어!!
할아버지
에게
보고를…!
놀자──!!
게임!
파티!!
에잇!
조용!!
그리고 거기 셋!!
정렬!!
오예─!!
삑
삑
흠칫!

툭
평균 이상의 점수를 받은 「1」은 「2」로 승급이다.
말도 안 돼!!
오오ー 만세ー
알로켈은 「1」에서 「3」으로 승급.
학년 1위
우왓!!!
와아아아
다들 대단하네!
네!!

역시 이루마 님입니다!!
뭐?!
솔직히 저는…
끈기 없는 저 녀석들이 전원 낙제를 피할 거라고는 생각도 못 했습니다.
하지만 이루마 님이 공부하는 모습에 영향을 받아
다들 연필을 쥐고 공부에 힘썼죠.
이루마 님은 주변을 변하게 하는 재능을 지니셨습니다.

그리고
그것은!
그야말로
왕의 소질
입니다!
음
음
어디가지-?
놀이공원이랑-
온천도-
펄럭…
이번에…
가장 성적이
오른 건
네놈이다.
뭐,
랭크가
승급될 정도는
아니다만….

좋아! 뒤풀이 파티 하자-
수업 남았다 멍청이들아!
나, 좀 나갔다 올게!
헉
이루마 님?!
헉
헉
주변을 변하게 하는 재능…인가.
발람 선생님에게 빨리 보고하고 싶어!
그래야만….
터억!
윽!!

앗.

어….
머…
머리카락이 없어!!
나 때문에?!
아, 머리카락은 있어.
어, 그, 그러네요. 저한테 영향을 받은 건 아니겠지만….
그래도 왜….
음~
과감하게… 기분 전환이랄까?
그보다 시험은 어떻게 됐어?

오오~~
~~~~~!!!
이루마
점성 64
마계역사 72
약학 70
고문 58
마술 65
총합 329
학년1 81위 / 163명
딱 중간이네!!
딱 중간이에요!!
부웅
덥
석
대단한걸~~!!
정말 좋아졌잖아~!!
부웅
~~~~~

발람 선생님 덕분이에요!
착지~
아냐, 네 실력이야.
보호자 분들도 분명 기뻐하겠지!
아, 네. 아까 메시지 받았어요….
이루마 군, 낙제 회피 축하해!! 파티 준비를 하고 있단다~!!
시험 수고많
그럼
슥
이건 내가 주는
퍼엉
선물이야!
윽

우왓!!
휘이익
부우ー
왜 그래?
아니! 그건 『피어나면(셀러맨더) 불을 뿜는 꽃(플라워)』잖아요!!
화륵
부우ー
정답~!!
성과가 있는걸!
이번 시험에서 네가 얻은 지식은 너 자신을 지키는 데 분명 도움이 되겠지!
이 애는 불씨를 뺐으니 괜찮아
부우ー
부우ー
너는 정말 성장했어.

영향을 주고받으며 배우고, 진화한다.
이건 생물의 특권이야.
톡 톡
너도 말했지?
갱신 했다고 말이야.
그러니 나도 타인에게 다가가는 것만이 아니라
다가올 수 있도록 노력 해보기로 했어.
머리카락이 너무 긴 게 무서운 건가 봐…
역시 저 때문에 머리카락을…?!
휴우—…
네 덕분이야.
물 한 방울이 파문을 일으키듯, 네 별거 아닌 한마디에 용기를 얻었거든.

특히
네 말에는
거짓이
섞여 있지
않아서
마음을
그대로
뒤흔든
다니깐….
네?
뭐,
아무튼
네가
낙제점을
피해서
다행이야.
정말
수고했어!
…네!!

시치로!!
카르
에고.
너,
그 머리….
…풉.
잠깐……
기다….
풉
푸
풉
카르에고는
옛날부터
웃음이 나면
온몸으로
참았지….
뭐,
전보다
당당해도 돼.
슥
너는
이 바비루스에서도
유일하게 나와
어깨를
나란히 하는

「8(케트)」 랭크니까 말이야.
『수호의 백까마귀(가고일)』 발람 시치로 랭크「8(케트)」

발람 가계 능력
부저
허위령
(虛僞鈴)
관찰 상대의
거짓말과 부정을
순식간에
감지할 수 있다.
시험 때에
마력을
학교 전체에
수면처럼 펼쳐서
학생의 반응을
감지하다니….
아~
이번에는
행동을 전혀
예상할 수 없는
학생이
있었거든….
뭐?!
너 말고는 못 해.
교내에서 네가
관리할 수 없는
학생은 없겠지….

이래서 생물은 재미있어…!!
이리하여 시험은 무사히…
뭐?
아무것도 아냐
…미리 말해두겠는데 너의 그 얼굴은 다른 의미로 무시무시하거든?
어?!
끝나지는 않았고
하하
하하하
※장기 휴가다!
시험 수고 파티
어라, 시넬 선배는?
머리가 좋아지는 약을 썼다가 잡혀서 보충 수업 지옥행입니다.
뭐?!
종말일이 다가온다!!

달그락…
제67화 걸즈 토크
좋아!
종말 시험 기간에는 연락할 수 없어서 갑작스레 부르게 됐지만….
독서회를 겸한 시험 뒤풀이….
슥 슥
히죽 히죽
덜컹
릴랙스 효과로 인기 좋은 차도 샀으니
분명 이루마도 기뻐할….

오오!
잘 왔다.
이루…
휘
익
마….
대-앵
제67화 걸즈 토크

?
애는… 뭐…
뭐지…?
으음….
?
?
이루마찌는 못 와요!!
뭐?!
못 온다는 게 무슨 소리지?!
그게
남자들끼리 뒤풀이를 하러 갔거든요!!

『나는 약속이 있는데,
잠깐, 어, 최소한 연락!
연락이라도~.』
라길래
전해주러
왔어.
예이!
가자!
뭐야.
이루마는…
못 오는
건가.
부우…
어?
이루마
아메리 씨,
죄송해요!
급한 볼일이 생겨서
독서회에 못 가게
정말
이군….
그럼
메시지
만으로도….
네!
그건! 내가!
빨강 씨랑
이야기를
나누고
싶었거든!

미구여
아미키리요
이루마
빨강…? 뭐?
고—!
가자~. 차와 과자를 챙겨.
어?!
두두웅
?!

학생회장… 어?! 어, 어째서?!
여자 모임!!
경 뒤풀이
멋져!
어머
남자들 끼리만 놀러 갔으니 말이야!
자기소개 하자!
어
발락 클라라!
원기 왕성
익스 엘리자베타야.
크로켈 케로리…
예요.
아자젤 아메리….
학생 회장…

여자 모임에선
주로 어떤 걸
하나요…?
저기~
준비한
차도
개봉했다…
왜 내가
여기에….
와—아
사랑
이야기!!!
꺄
사랑
이야기지!
대애—앵
욱
아
우후후~
다들
신경 쓰이는
남자가
있지 않아?

신경 쓰이는?
좋아하는 남자 말이야.
있어! 이루마찌야!!
철푸더억
회장님……?
아, 아무것도 아니다…!

아차!
항상 이루마의 곁에 뭔가 있다 싶더니….
이 녀석,
여자 였구나…!!
게다가 이루마를 조, 조조, 좋아한다고…!
확실히 악주기의 이루마는 박력 넘치는 게 참 멋졌어♡
응~
참 멋졌다니깐~.
후후후
나, 나는 딱히… 아무렇지도…. 뭐, 믿음직하긴… 했지만….

이 바람둥이
자시이
이이익~!!
끄이잉
※사귀지는
않습니다.
지금이라면
사요의 마음이
이해될 것
같아…!!
사요
첫사랑 메모리의
연적
카케루에게
다가가지마
못난아!
크으윽
회장님은
좋아하는
분이 있어?

어.
연애 경험이 풍부할 것 같긴 하네.
혹시 요령이 있는 거야?
윽.
선생님, 어떤 계기로 사랑이 시작됐나요?!
가르쳐줘―!!
연애의 오의?!
어
아. 모,
모퉁이에서 부딪치고…?
모퉁이?

저, 접촉했다는 의미다!
아~!
아하!
만지는 건 효과적이라고 라임 선생님도 말했었어.
섹시 포즈
케로리는 연애에 있어 수동적인 편이야?
하아…
그렇다기보단….
모르겠어!!
남자는 좀 웃어주기만 하면 바로 좋아해 주는 거 아니었어…?!
직접 손을 쓸 필요도 없는 현역 인기 아이돌

터치 하니
생각났는데,
사브로한테
자주 올라타!
그러니까 좋아해!
우리 반
애들은
다 좋아!
갑자기 왜
저러지?!
평소보다 더
확고하네.
흥 흥
그,
그렇
구나!
하지만!!
그건 사랑이
아닐 텐데?!
너의
좋아해는!
사랑?
예를 들어~
이루마와
결혼하고 싶다~
라거나.

축♡결혼
신랑
신부

끼야얏
어머?
…이, 이루마찌랑은…
그것도 괜찮…을 것… 같네…?
어머♥
!!!
얘! 역시 위험…!!
겨,
겨겨, 결혼이라니….
후후후
이루마라면 분명 좋은 남편이 될 거야. 안 그래? 회장님.

후후후후후
아하하하하
사라랑~

발그레~
학생한테 결혼은 일러요!!
어머?
나는 괜찮다고 생각하는데?
문란해요!
그런 스캔들러스 한…
아니, 나는 왜 발끈한 거야?!
헉
사랑은 자유야!
형태 따위 상관없거든?! 나, 오늘 말이 엄청 많네!!
헉
시끌— 시끌—
릴랙스 차
효능
하고 싶은 말을 다 털어놔서 스트레스 해소

훈 훈~
왠지 이것저것 다 털어놓은 것 같아….
하지만 세세한 건 기억 안 나네…
개운해~.
케로링은 의외로 말이 많네!
회장님도 더 무서운 분인 줄 알았어~.
아… 아메리라고 불러도 된다….

직무 중이 아니니… 말이지!
아메 양!
빨강이!
아메리… 씨!
후훗
너무 빨리 순응하는 것 아니냐!!
연락처 교환~
후후후
왠지 이런 것도 즐겁네!
…음!

덜컹
앗! 아메리 씨, 여기 있었군요!
역시 안 가는 건 실례일 것 같아서 잠시 빠져나와서 온 건데….
어라? 다들 여기서 뭐 해…?
나가!!
여자 모임 중이에요!!
남자는 출입 금지!!
휘익
휘익
어엇?!

제68화 카르에고 선생님의 가정 방문
우후후~
그렇게 싫어해도 소용없어.
카르에고 선생님은
가정 방문을 가주셔야 겠어요!!

쉬잉!
그 멍청이 이사장!!
뭐가 「종말일 전의 최종 학생 지도!!」냐! 별생각 없이 추진한 거잖아!!
※허나 마계는 상하 관계가 엄격하기 때문에 거절할 수 없다.
상 사!
어머나 어머나 카르에고경
방문→면담
이러쿵 저러쿵
부모
부모
어차피 보호자를 만나 항생의 평소 생활을 보고할 뿐….
엄숙히 끝내고 빨리 돌아가자!!
파
앗

아스모
데우스
저택
딩동-
카르에고 경. 와주셔서 감사합니다!
오늘은 제가 대신 이야기를 듣겠습니다.
부모님께선 일하러 가신 겁니까?
네.
그 엄마에게 담임과의 면담을 맡길 순 없어….
아리스~
가정 방문 건을 아예 알리지 않은 건가….

뭐, 좋다.
요즘 학교에서의 생활은 보호자에게 보고하고 있나?
네
최근의 이루마 님도 정말 멋지십니다.
누가 이루마의 이야기를 하라고 했지?
제 이야기는… 곧 이루마 님의 이야기니까요.
뭐 그런 논리가 다 있냐!
자기 이야기를 해라!!
하지만 그래선 우수하다는 말밖엔….
네놈은…
저벅
맞아요.

아리스
오라버니는…
멋진
분이세요!!
쓰-윽
비오레!
릴리!
친척
자제분
입니다
멋지고 강한
아리스 오라버니는
저희한테
동경의 대상이에요!!
울먹…
하지만
요즘에는
이루마 님만
신경 쓰고…
놀아주지도….

우에에엥
이루마 님은 바보~!!
왈카아악
둘 다….
미안하다…. 하지만 나한테는 이루마 님이 최우선이다.
그건 양보 못해
아, 아리스 님!!
아리스 오라버니는 대단하단 말이야!
아니 이루마 님이 더 대단해!!
죄송합니다
아—…. 즉
이 댁의 자제분은—….
…하아~
결국 한 시간이나 걸렸나….
젠장… 이번에야 말로….
펄럭

발락 가
다녀왔어
이예―이
어
서
와
요
웰컴, 마이 티처~.
잘다녀올게요
어 서
저벅
방문 했으니 돌아가지.
잠깐, 잠깐, 잠깐~.
거기
서

너무 그러지 말라고! 자아, 짐 줘! 오오, 종이가 잔뜩 들어있네!
나쁘게는 안 할게!
오늘부터 당신도 발락 가의 일원이에요!
끄아아아, 하지 마!!
그만!
움찔
선생님이 곤란해 하시잖아요, 누나!
우라라!

반짝
카르에고 경 같은 대단하신 분께서 누나를 위해 이런 두메산골까지 오시다니, 정말 황송합니다.
반짝
형제자매들은 제가 돌볼 테니, 편안히 면담하시죠.
반짝 반짝
유괴해온 겁니까?
반짝ㅡ
친자식이에요.

우리 가계에서는 가~끔 태어난답니다.
이런 애가…
발그레~
유전자의 저항이라고 봐야 하나.
앗!
카르에고 선생님께는 형제자매가 있으신가요?!
휘익!
아, 형이….
결혼은 하셨나요?
독신 입니다만….
취미는요?
선인장 수….
아, 제 이야기는 됐습니다.
그런데 우리 애는 어떤가요? 폐를 끼치고 있나요?
네
폐밖에 안 끼칩니다만….
뭐….
간단히 말해 이 댁의 클라라 양은….
펄럭

결국 2시간 걸렸다…
바이바이
선물
이야!
카르에고 님께서 우리아들을 돌봐주신다니 영광 그 자체!!
동생이 신세를~…
슬금~…
지갑 훔치면 손가락 부러뜨릴 거예요!
네
결혼~ 신데렐라~
선생님 도망쳐!
누나 그만둬!!
찰싹

이루마의 집
덜컹
어서 오세요, 카르에고 선—…
생님?
휘-익
아, 저기?
이사장은 어디 있지?
빨리 안내해라. 이대로 있다간 녀석이 나타날….
부절
안절

여어.
카르에고.
쑥
오페라…
선배.
휘익
네
오페라
선배
입니다.
학창 시절
당신을
불러서
빵 사 오라고
시키거나,
짐 들라고
시키며
즐거운 시간을
함께 보낸
오페라
선배에요~~.
이익
그런
뻔뻔한
소리를…!!
두 분은
선후배
사이에요?!
네
끄으으응
사이가 좋죠.
자아,
이사장님이
기다리십니다.

…… 선생님.
우리 애는 잘 다니고 있나요? 괴롭힘을 당하고 있지 않나요? 밥은 잘 챙겨 먹나요?
큭윽…
너도 교사잖아!
이 짓이 하고 싶었던 건가….
자아, 친족 분이 묻잖아요.
빨리 대답하세요.
톡톡 톡톡
아야
저기, 죄송합….
후우-…

이 집의 이루마 군은…
종말 시험에서 성적이 큰 폭으로 향상됐습니다…. 다음에도 더 좋은 성적을 목표로 삼았으면 합니다.
슥…
학교생활은… 뭐, 문제나 사건의 중심입니다만,
그 과정에서 얻은 경험과 많은 인연,
펄럭…
그것은 그에게 큰 재산이 될 겁니다.
마구 연구 바트라에서의 활동은 주로 마구 정리 및 수리….
학생회에서의 연수를 비롯해 새로운 도전을….
엄청 조사해 왔네….

휘익—
오—.
이거
대단한걸—.
잠깐
돌려…
이익….
당신의
이런 점이 딱
질색이라고!!
자~아
이거 좀
보렴,
이루마
~~!
역시
카르에고 군을
담임으로 삼길
잘했어.
이…
공책 한 권에…
나에 대한 것만…?
그럼…,
설마 선생님은
우리 반 학생…

자기 힘을 파악하고 배려심을 지니게 된다면 장래성이 충분할….
놀이와
이익을 양립시킬 방법을 생각하며….
신체만이 아니라 정신의 수행에 더 힘쓰는 것도….
주위를 더 살핀다면 얻는 힘의 폭도 넓어질….
마왕이라는 목표를 달성할 수 있도록 부모님도 서포트를 해주는 것이….
모두의 공책을…?
「성(性)에 관한 생(生)」 이 논문은 흥미로우며 참고가….
가장 움직임이 적고 효율적인 직업은 이것….
호감도의 조절법을 익히는 게 과제….
훔친 후의 행동과 들켰을 때의 대처법에 관해 철저히….
지식을 추구할 거라면 자신의 머리를 지키는 방법도 필요….

슥
이루마…는
무슨 일도
극복하는 힘을
지녔습니다.
소중히
여겨야 할
재능이죠.
하지만
책임과
자기희생을
동일시해선
안 됩니다….
엄중히
주의하도록….
…네!!
감사
합니다!
하아!
그럼
저는
이만….
어.

자고 가지 않을 건가요?
숙박 세트!!
뭐어?!
싫습니다!!!
이루마 님도 그가 자고 가기를 바라죠?
어. 아, 네!!
어이, 인마! 이 자식!!!
이 자식~?
주인에게 그런 말투를 쓰면 안 될 텐데요….
쿡.
아, 그러고 보니
사역마 상태의 당신은 매우 폭신폭신 하다면서요?
꼬물
꼬물
저는 폭신폭신한 걸 좋아하죠….
어라 이런곳에 소환스티커가…

앞으로는 절대 가정방문 따위 안 할 거야아아아
펑!
나베리우스 카르에고. 그는 엄숙한 교사….
후우-…
일전의 방문에서 신세 많이 졌지. …그 답례로
종말일의 과제를 늘리기로 했다.
흥
저, 저질 교사!!
끄아아아아아아
우리 괴롭히는 게 그렇게 재미있냐!!
재미 있다.
그리고 음습한 남자다.

종말일이란!
한때 마왕이 너무 바쁜 탓에 악주기의 스트레스를 발산하지 못해
한계에 도달한 끝에 30일간에 걸쳐 날뛰면서 대규모 초토화를 일으킨 일화에서 유래한…
제69화 종말일을 보내는 법
장기 스트레스 발산 기간이다!!!

벌러덩~
으음~
휴가이긴 한데
데굴
데굴
뭘 하면 좋을까.
학교에 가면 항상 시끌벅적 했었지.
쓸쓸해~
확실히 좀 쓸쓸…해.

이상하네….
처음에는
그렇게
학교에 가기
싫었는데….
후후후
나…
학교를
좋아하게
됐구나….
아즈아즈랑
클라링은
휴가 동안에도
만나러 오지
않을까?
안녕―
하며
그거
그만둬
휴가
기간에
그러
지는….
딩동―

종말일 첫날입니다, 이루마 님!
안녕—
아… 안녕.
역시 갑자기 찾아온 건 실례였을까요…?!
헉!!
아냐!! 어서 와!!
헤헷…

이루마 님의 방에 들어온 건 처음이군요!
푹신— 푹신—!
나도 그래! 치, 친구가 찾아온 건 처음인데…. 뭐, 뭐 하면서 놀까?
헛! 실은… 오늘 찾아온 건 말이죠….
?
이루마찌~. 준비됐어?
훗훗훗
이루마 님… 저희와…

월터 파크에 가시죠!!
짜자ㅡ안
월터파크 공략
월…
월터 파크면
놀이 공원?
와아ㅡ!
네!
월터

이루마 님이 가장 흥미를 보이셔서요!
월터 파크를 제대로 즐길 수 있는 작전을 생각해봤어!
고마워!!
우와!
레스토랑부터 놀이기구까지, 완벽하게 돌아보죠!
와~!
재미 있겠다!!
그렇지? 그렇지?
그래서 나, 다들 불렀어.
칭찬해줘!
뭐?
딩동-

왔다고~!!
이예
~이
다, 다들 어떻게…?!
오~~. 이루마네 집이네~. 넓다~. 참, 이야기 들었어~.
월터 파크에 간다며?!
너, 또 멋대로…!!
부우-

역시 『절규 코스터』와 『지옥의 구멍』은 필수지.
퍼레이드 보고 싶어~♥
흠
흠
오픈이 11시니까 10시 30분까지 현지 집합!!
어이! 제대로 계획을….
『마왕의 저택』은 어느 구역에 있지?
말 좀 들어!!
음~
친구가 이렇게…. 잘됐구나, 이루마 군!
네.
어느새…?!
…응!

저러쿵
이러쿵
아하하하하
여기
아니
여기
왜 다들 교복이야?
이사장님 집이니까
꾸욱
꾸욱
MAP
POTAT
됐어!
잔뜨윽...
훅—
뭐가 됐단 겁니까.

그렇게 짐을 많이 가져갈 순 없습니다.
하지만!
이루마 군이 학교 이외의 장소에 가는 건 처음인걸!
걱정!!
제가 모셔다드리고, 모시고 올 테니 걱정할 필요 없습니다.
약2시간
월터
파크
HOME
무슨 일 있으면 바로 연락하렴!! 이건 할아버지와의 약속 메모야! 호위도 부탁해 뒀단다!!
꼬옥!
호
호위?
최고의 호위지!
갸ㅡㅅ
갸ㅡㅅ

오오~.
웅성
어.
왔다~

웅성
웅성
이루마~!

다들
빨리 왔네!
사복이네~
여어
슈나이더는
모라쿠스
선생님과
학회에 갔어.
벌써
가슴이
뛴다니깐~.
악마학교 대표
그렇구나~
그것
보다
저기
좀 봐….
대~앵…

내가 왜 이런 곳에….
이사장님 명령이잖아….
어쩔 수 없어
즐거울 것 같으니 괜찮지 않아?
뭐?!
어디가….
카르에고는 여전히 시끌벅적한 것을 싫어하는 건가요.
이 기회에 극복하도록 하죠!
괜찮아요! 발람과 저도 있으니까요!
쑤욱
당신과 함께라서 질색하는 거라고!!
그렇게 부끄러워하지 않아도 되는데…
부끄러워하는 게 아냐!!
발람 선생님 이미지가 변했네~
어, 그래?
무서워~
어?!
슬금…
슬금…
호위가…
이루마….

아메리 씨!
……
와줬군요!!
그래. 왔다…. 왔는데….
단둘이서라고 하지 않았느냐!!
이 대인원은 뭐냐?!
어엇?!
단둘이라고는 안 했….
진짜네… 메시지에 안 적혀 있어
데, 데이트 인 줄 알고
엄청 신경 쓰고 왔는데…!!
짠♪
짜라라

월터
파크.
기상
시간~.
오오!!
오픈
이다…!
둠칫
저기
봐!
둠칫
고오오오오
둠칫
구름이
걷히면서….
둠칫
둠칫
안녕~.
여러분~.
자아.

기쁘고!!
즐겁게!!
재미있게
노는 바보가
가장 잘났어!!
POP
월터

노는 것만 생각해.
여기는 환상과 유흥의 마을!
파크!!!

최고의
놀이
동산에
어서
와!!!

제70화 월터 파크
찾았다!
우선 절규 코스터부터 타자!
쇼핑 가고 싶네~.
왕의 저택은 어디지?!
휴게소를 체크해 두겠소이다.
뒷면에 있나.
대기 시간이 엄청나.
MAP
밥!
그냥 흩어져서 자기가 가고 싶은 곳에 가자고~.

좋아, 해산!!
캬호—
기다려라.
터억
터억
터억
전부 흩어지면 감독할 수 없다.
어이
자유행동을 해도 괜찮지 않을까요~?
괜찮지 않아.
쿨룩

제70화 월터 파크

세 팀으로 나눌까요.
인솔자가 셋이니까요
셋
저기!!
그럼 겨뤄보자!!
겨뤄?
놀이공원을 제일 잘 즐긴 팀의 승리!!
오~ 좋지
마지막에 모여서 얼마나 재미있었는지 어필하는 시간을 갖거나~….
심사위원은 이사장님께 부탁할까요.
예-이
그리고 우승팀에게는 선생님들이 한턱내는 거야!
어이!!
멋대로 정하지 마라!!
멍청이들!

어차피 놀러온 거니 괜찮지 않아?
어른인 저희가 여유를 보여줘야겠죠.
음
음
왜 내가 그런 억지에 휘둘려야…
…….
좋습니다. 우승 상품까지는 인정하죠.
훗—…
그럼, 최하위 팀은 종말일의 숙제를 곱절로 내주도록 하겠다!!
꺄아아아아아
음습!!
저질—
항상 이러냐
항상 이래
자아, 제비 뽑으세요~.

팀 발람
MAP
팀 오페라
팀 카르에고

척…
어이….
응…. 그래….
끌찌는 우리로 확정이잖아!!
아아
저런 암흑 대제와 함께 다니면서 어떻게 즐기냐고!!
아아
저기가 좋아! 저기가!!
아아
여자가 없잖아!!
어엉!

좋다. 네놈들이 꼴찌를 하면 숙제를 더욱 늘려주지….
으아-!!야
거짓말이에요, 거짓말!!
헉-!!
카르에고 선생님과 함께라 너~무 기뻐!!
카르에고. 학생들과 사이가 좋은걸…….
여자 모임 리턴!
끄아아 끄아아
에이-
그런가요…
그럼 준비.
해산!!!
와아!

오페라 팀
이루마와 다른 팀이 됐어….
끄응…
빨강이!
옷 귀엽다~!
잘 어울립니다.
엇
그런데 원피스도 어울릴 것 같아….
좋아! 원피스 사러 가자!
옷 갈아입자
엇

어엇~
카르에고 팀
어쩌지?
어쩌긴….
소곤
소곤
소곤
이렇게 된 거 확 발상의 전환을….
전환?
그러니까 전력으로…
아하.
소곤
소곤
소곤
어이, 네놈들.
뭘 그렇게 쑥덕….
덥석
이렇게 됐으니 엄숙하게!
전력으로 즐겨줘야 겠어!!

하지 마라아아
발람 팀
버럭
버럭
무슨 소리냐!
우선 왕의 저택에 가야 마땅하다!
그러니까!
먼저 이루마 님의 의견을—….
헉
어, 이루마 님은?
톡톡
반짝
반짝
우오오~~.

덜커-엉
덜커-엉
우왓!!
구오오오오
와아!!
되게 즐거워하네.
우와
우와
이야-
와아
엄청 시끌벅적해…!
와아
아아아아
뭘까!
다들 눈을 못 떼네!! 이 앞에 내가 모르는 즐거운 것이―….
반짝

숭배하라 レーP
둠칫

둠칫
로노웨 로미엘
가계 능력
카리스마
주위의 시선을
순식간에
자기 쪽으로
모은다.
엄청
익숙한데….
로노웨
선배?!
야아~!
척

오래간만
이구나!
서민!!!
로노웨!
일루미나티,
맞지?
기억해
이루마
예요.
누구…?
으-음
학생회
선거에서
진~
로노웨
선배는
왜
퍼레이드
에…?
흣,
어리석은
질문
이구나.

파아 아아앗
뭘 숨기랴. 이곳은 내 레전드 대디!
서민의 말로 하면, 아버님이 만든 유원지다!!
어—
대, 대단하네요!!
이렇게 멋진 장소를…!
후후후. 그래! 나는 이 유원지를 구석구석까지 즐길 수 있는 후계자….
하지만!
오늘은 시찰 온 거잖아요.
릭
여러분은 도련님의 지인인가요?
네. 으음….

유원지 스태프 우에토토
오너의 지시로
교내에 유원지를 만들고 싶어 하는 도련님께 시찰 안내를 해드리는 중인데….
남자에게 만져졌어…
눈만 떴다 하면 놀이기구를 타러 다니고
매점을 통째로 사지를 않나, 퍼레이드에 난입하기까지….
기다리세요
수고 많네요…
여기는 로노웨의 앞마당과 마찬가지! 앞마당은 뛰어다니라고 있는 것이다!!
시찰하고 있는 거라고요.
아. 그럼 잘됐네.

설명 중….
오호라!! 즐기기 승부라, 재미있는걸!
이 로노웨에게 맡겨다오!
내 비장의 장소로 안내해주지.
VIP용
짤랑…
VIP 중에서도 추첨으로만 들어갈 수 있는 하이퍼 시크릿하고 위험한 투어다!
도련님, 설마…. 『지하』는 안 됩니다!!
지하…?

흐음
보다
시피
지상에는
온갖 놀이기구가
잔뜩 있지.
이것들은
방대한 양의
마력으로
가동되는데,
그 동력원이
지하에서
살고 있다!!
살고…?
죄마
(罪魔)다.

유쾌한 악마가
잔뜩 있어서
볼만하다고!!!
그러니까
안 된다고요…!
유쾌한 게
아니라
이상한
악마만 있단
말입니다!!
……
감옥…
월터
파크의
지하는
감옥
요새지.

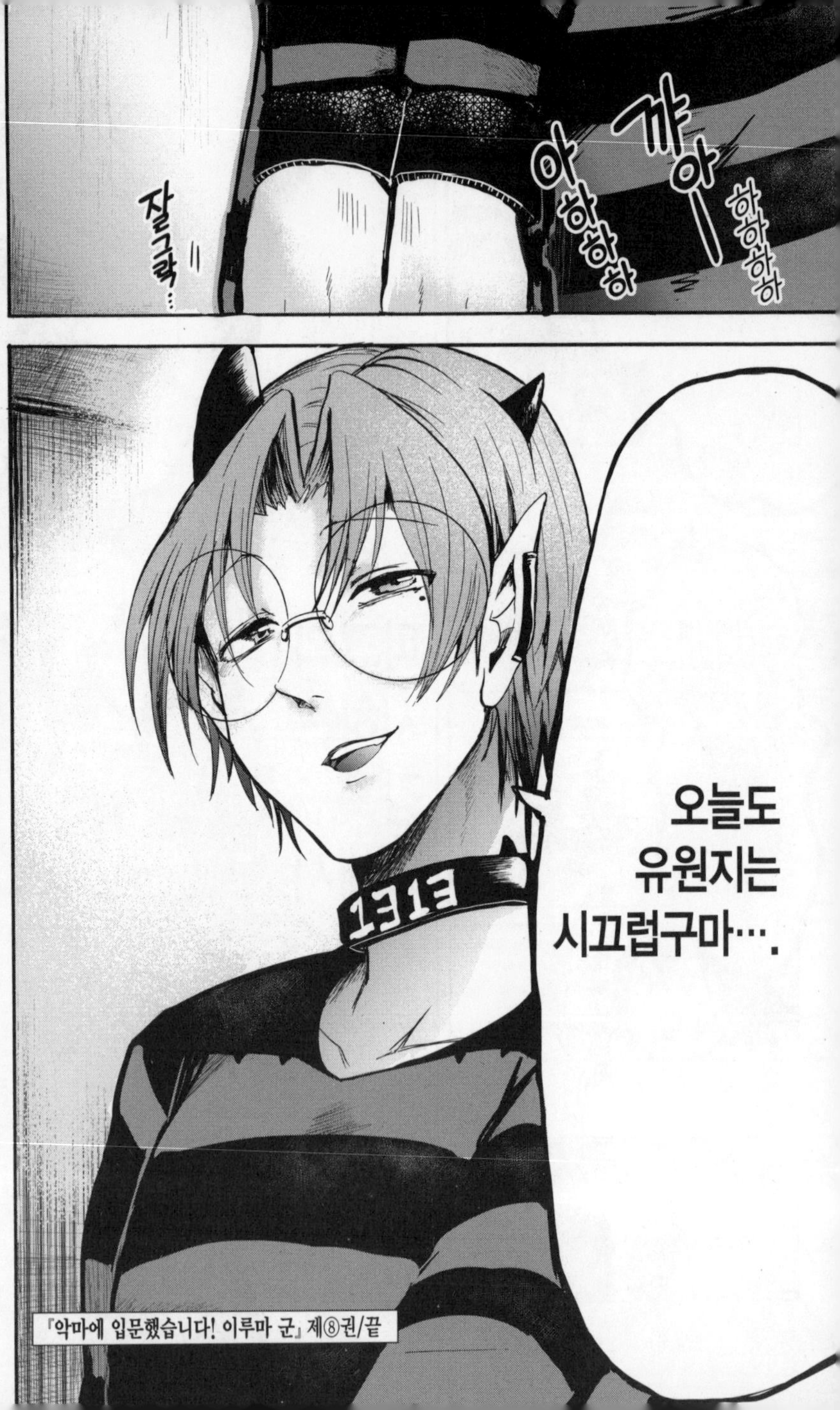
하하하하
꺄아—
아하하하
잘그락…
오늘도 유원지는 시끄럽구마….

『악마에 입문했습니다! 이루마 군』 제⑧권/끝

각 화의 보너스

64화의 보너스

1일째
스으윽
2일째
오~
톡
3일째
쓰-담
쓰-담
스윽
스윽
스윽
좋아!
익숙해 졌다!!
우음
극단적이야….
쓰담
쓰담
쓰담

65화의 보너스

클라라의 공부 외우기 노래
쑥쑥 자라나는
쥐엄 쥐엄 풀~♪
축축한 걸
좋아하는~♪
눅눅 버섯~♪
빙글 돌아서
우로볼로스!
적월을 향해
만세-♪
만세-♪
만~세-!
망가졌나….
과제를 줄여줘야 할지 처음으로 고민한 카르에고.

66화의 보너스

아즈에게 이루마 공부 중이라 보고를 받은 에이코.
이루마 씨! 공부 열심히 하는구나!
내가 도울 일이 없을까?
으-음
수식을 정리해서… 공책을 만든다면….
모든 과목 두루두루!!
으-음
으-음
알기 쉽게 하려면 더 이해해야….
마생물
마계역사Ⅰ
전교 10등이라니, 대단하네!!
대단해!!
결과적으로 이루마에게 영향을 받아서 가장 성적이 많이 오른 애.

※만든 공책은 아즈가 이루마에게 건네줬습니다.

67화의 보너스

아메양은 샴푸 어디 걸 써?
앗
으음. ※「비비안」….
나는…「러블리카」.
아, 크롬이 선전하는 거구나!
윽.
클라라는?
?
비누!!
핑크색!!
우쭐
나중에 다른 애들한테서 샴푸를 받았다.

※마계의 고급 브랜드

68화의 보너스

포획.
하지마아아
으음~, 정말 폭신폭신!
슥
슥
털이 참 보드랍군요.
「빗질」
하지만 윤기가 부족해요! 더 신경을 써줘야….
끄아아아아
부오오오
「손가락 마사지」
푹 시인~
선생님…. 화났…어요?
화내고 싶지만, 좋은 대우를 받고 있어서 말을 못 한다…는 표정이군요.
「고급 이불」

69화의 보너스

데이트(?)에서 입을 옷을 고르는 아메리.
모, 못 고르겠어…!!
이성을 위해 옷을 고르는 건 정말….
으~
어쩔 수 없지! 이럴 때는
도움을 청할 수밖에 없다!!
삑
삑
유행하는 데비부르나 프레이어. 피부를 보여주고 싶으니 긴팔 말고 활동적인 팬츠도 괜찮을 거야. 포이즌 퍼플과 브랜디는 정석이라니깐!
날씨에 맞춰 케이프나 물러를 걸치는 것도 좋겠지만, 비쌀지도 모르겠네. 아, 꽃무늬는 어때? 스티치도 화려하니까 추천할게~.
그리고…
주문이냐?
마술이 아냐.
그리고 백은 발바라 신상이나 토튜르가
「여자는 대단하구나」 하고 생각하며 먼산을 본 아메리였다.

남자 모임

게임 바트라의 노래방 남자 모임
이루마, 노래 골라.
푹신푹신
무대
어, 어쩌지! 마계의 노래는 아는 게 없는데…. 하지만 노래를 안 하면 의심받을지도 몰라!
허둥
지둥
최신곡
아니! 잠깐만!!
있잖아. 내가 부를 수 있는…
유일한…
노래!!
헉
빰 빰
~너의 소악마 묵시록♥~
빠바밤~
좋아해? 글쎄? 알아채 봐.
슬쩍 이스케이프 해줄게♪
가사와 춤이 완벽…해?!
『이루마는 크롬의 광팬』이라는 게 어브노멀 클래스의 상식이 됐다.

읽어주셔서 정말 감사합니다.

THANK YOU FOR READING

감상은
여기로 보내도록!!

〒102-8107 東京都千代田区飯田橋2-10-8

秋田書店 週刊少年チャンピオン編集部気付 西修先生宛

후기

8권!!입니다!

공부를 좋아하시나요?
저는 벼락치기를 좋아했습니다.

공부 편은 언젠가 해야겠다고 생각했지만, 당초에는 배틀을 먼저 할 예정이었습니다. 그래서 발람은 콘티만 짜둔 캐릭터인지라, 작품에 넣으려고 고생한 기억이 납니다. 힘들었어요…. 하지만 예상 이상으로 이루마의 좋은 이해자, 카르에고의 힐링이 되어주더군요. 그래서 만화가 살아있고, 생각대로 전개되지 않는 점이 재미있다는 사실을 다시 배울 수 있었습니다.
발람, 고마워. 곧 사역마 카르에고를 만지게 해줄게. 다음 권은 유원지 편 예정! 가장 즐기는 건 누구인가!? 예상해주시길!

西修

믿음직한 동료들

스태프 THANKS

· 나카자토 하루나 씨

· 니시자와 씨

· 노나카 카즈키 씨

· 오사이 씨

· 히로카와 료 씨

· 야하바 아야 씨

감사, 또 감사

핸드폰, 안경, 집 열쇠.
이 사람이 다음에
잃어버리는 건 뭘까.

· 담당자 니시야마 씨

악마에 입문했습니다! 이루마 군 VOL. 8

2023년 10월 25일 제1판 제1쇄 인쇄
2023년 10월 30일 제1판 제1쇄 발행

작가 | OSAMU NISHI
번역 | 이승원

발행인 | 오태엽
편집팀장 | 이수춘
편집담당 | 이혜리
표지 디자인 | Design Plus
라이츠사업팀 | 이은선, 조은지, 정선주, 신주은
출판영업팀 | 김정훈, 이강희
제작담당 | 박석주

발행처 | (주)서울미디어코믹스
등록일 | 2018년 3월 12일
등록번호 | 제 2018-000021
주소 | 서울특별시 용산구 한강대로 43길 5

인쇄처 | 코리아 피앤피